御伽草子【おとぎぞうし】
室町時代から江戸時代初期に成立した短編物語の総称。神仏の化身や擬人化された動物が登場するなど、多種多様な物語が絵とともに描かれている。

［現代版《げんだいばん》］絵本《えほん》 御伽草子《おとぎぞうし》 はまぐりの草紙《そうし》

2015年12月9日 第1刷発行

著者 橋本《はしもと》 治《おさむ》（文） 樋上《ひがみ》公実子《くみこ》（絵）

発行者 鈴木 哲
発行所 株式会社講談社
東京都文京区音羽2-12-21 郵便番号 112-8001
電話 出版 03-5395-3504
販売 03-5395-5817
業務 03-5395-3615
印刷所 凸版印刷株式会社
製本所 大口製本印刷株式会社

ブックデザイン 帆足英里子 古屋安紀子（ライトパブリシティ）

ISBN978-4-06-219871-4

はまぐりの草紙
［現代版］絵本 御伽草子
橋本治 文
樋上公実子 絵
講談社

昔々、まだインドが天竺《てんじく》と呼ばれていた頃のことでございます。その地にあった摩訶陀国《まかだこく》に、シジラという男が住んでおりました。摩訶陀国は、アレクサンドロス大王がやって来て去った後の紀元前四世紀に大きく栄え、全天竺を統一するまでになりましたが、紀元前一世紀には滅んでしまいます。だから、このお話の「昔々」はそこいら辺のことなのでございます。

とりあえずアレクサンドロス大王はなんの関係もございませんが、シジラは「世にすぐれて貧しい人」でした。すごいと申しますのは日本語の表現で、「世にすぐれて貧しい」は「世に抜きん出て貧しい」です。「すぐれて」にはそういう使い方がありますから、「世にすぐれて愚かな人」とか、「世にすぐれてまぬけな人」とか、「世にすぐれて不美人な人」という表現も可能です。

「世にすぐれて貧しい」というちょっと笑っちゃうシジラですが、父親は早くに死んで、母親一人が残されていました。でも、その頃の天竺には飢饉が広がっていてやたらの数の人間が死んでしまっていたので、母親を食べさせることは容易なことではありませんでした。シジラの本業はなんだか分かりませんが、母親を養うためにシジラはいろいろなことに手を出して、ことごとくに失敗していました。「どうしよう」と思うシジラは頭を抱え、ふと思いつきました。「そうだ、魚を釣って母親に食べさせればいい」――そう思って、シジラは小舟を漕いで沖へ向かい、毎日いろいろな魚を釣って母親に食べさせました。

ちなみに、全天竺を統一する前の摩訶陀国は内陸部にあって、ちょっと歩けば海に出るような島国ではありません。ついでに言えばシジラは四十歳で、母親は六十歳を過ぎていますが、母親は「息子の釣って来た魚を料理して息子に食わせてやる」ということもせず、「息子が釣って来た魚を息子が料理して母親に食わせる」という毎日でした。それでも、「シジラの母親はひどい女だ」とか、「哀れなシジラはろくに食うものもなく毎日魚釣りだけをしていた」というような話はどこにもありません。

その日もシジラは沖へ漕ぎ出しましたが、日暮れ近くになってもなにも釣れません。「これは、毎日殺生をして母親を養っていたことの報いか――」とシジラは思いますが、母親は家で息子の帰って来るのを待っています。なんにも食べずに息子の帰りを待っている母親のことを思うと、釣竿を握るシジラは、「魚よ、なんとしてでもかかってくれ！」と祈らずにはいられません。別にこれは「異常な母と息子の話」ではないので、すぐにシジラの祈りは釣竿に通じて、シジラは手ごたえを感じました。

シジラはすぐに釣糸を上げましたが、針の先にかかっているのは魚ではなくて、はまぐりでした。その頃の天竺にははまぐりを食う習慣がなかったので、はまぐりを手にしたシジラは、「見た目はいいけど、こんなもん食えないしな」と思って、はまぐりを海に捨てて、「ここら辺に魚はいないな」と、舟を西の海の方に向けました。最前申しました通り、摩訶陀国は四方を海に囲まれた島国なんかではないのですが、どうやら三方までは海に囲まれたところのように思われています。思った方が勝ちです。

はまぐりを海に捨てたシジラは、南の海から西の海へとやって来て、また釣糸を投げました。さっきはもう「日暮れ近く」になっていたはずですが、太陽の方で沈むのを忘れているために、全然「日暮れ」にはなりません。そういう細かいことを問題にしないシジラが投げた釣糸の先にはすぐに反応がありました。シジラは「おお、やった」と思って引き上げますが、針にかかったのはまたしてもはまぐりでした。

釣り上げたはまぐりをしみじみと見ていたシジラは、「これは南の海で釣ったのと同じはまぐりじゃないか」と思って、「こんなもんいらん」と、またしても海へ捨ててしまいました。そして「験《げん》が悪い」と舟を西から北の海へと向けました。

北の海へやって来たシジラは、当然釣糸を海に投げます。するとまたしてもかかったのははまぐりで、西の海に捨てたのと同じものです。はまぐりは女性器の隠喩に使われるものでもあって、そういうものがシジラの乗る舟を追いかけて来るというのは、やっぱりなんかそういう意味があったりもするはずなのですが、四十歳まで未婚で童貞のシジラはそういうことを考えず、「同じはまぐりを三度も釣ったのは、過去、現在、未来の三世にわたる珍しい縁かもしれない」と思い、今度は海へ捨てずに、舟の中へぽいと投げ入れたのです。

食えないはまぐりなんかに興味のないシジラは、そうしておいて釣りを続行しようとしましたが、その時不思議なことが起こりました。舟の中に投げ入れたはまぐりが、急にムクムクと大きくなってしまったのです。真面目なシジラは「こりゃやばい」と思って、そのはまぐりを海へ投げ込もうとしましたが、それを制するように、はまぐりの閉じた殻の間から、三筋の金色の光が溢れ出ました。

驚いたシジラは恐怖を感じて後ずさりをしてしまいましたが、そんなシジラの目の前で巨大化したはまぐりは光と共に口を開けてしまいます。見るとその中に、十七、八歳の女房装束をつけた大層美しい女が座っています。「すげェ、きれいだ」と思う前に、ただ驚いたシジラは、海の水を手に取って顔や両手を清めてしまいました。なんでそんなことをしたのかと言うと、はまぐりの中から金色の光と共に現れたのですから、シジラは「天女か、龍女《りゅうじょ》か、ヴィーナスの類か」と思い込んで、「まず自分の身を清めなければ」と思ったのです。

緊張したシジラはおそるおそる言いました。

「あなたはとてもきれいです。きれいできれいで、私は月並な表現しか出来ませんが、こんなきれいな人が海から上がって来るのは奇跡です。天から来たなら天女ですが、海から来たのなら龍宮の龍女でしょうか。こんなしようもない男の舟にお上がりになるというのは、畏《おそ》れ多くてもったいないことでございます。どうぞ元のお住まいへお帰り下さい」

シジラは本気でビビってそんなことを言ったのですが、はまぐりの中から姿を現した女は、「私は、ど

こから来たのかも分からず、どこへ行くのかも分からない女です。どうぞ、あなたのお住まいにお連れ下さい。これから二人で一緒に暮しましょう」と、いきなりのとんでもないことを言います。シジラは、情報社会でもない紀元前の、女に縁がない四十男なので、「あぶない女だ――」などとは思わず、ただただ驚いて申しました。

「恐ろしいことをおっしゃいます。私は四十になりますが、いまだに妻を持ちません。どうしてかと言うと、私には六十歳を過ぎた母親がいて、結婚したら浮き浮きして母親のことなんかどうでもいいと思っちゃいそうで、それで結婚が出来ないのです」

はまぐりの中から出て来た若くてきれいなはまぐり女は、「なんて情けない人なの」と言いました。

「いい？　物事の筋道ってのを考えてみてよ。道ですれ違った人と着物の袖が触れ合ったって、〝前世からの縁〟だって言うのよ。鳥なんかだって、前世からの縁のある枝に来て止まるのよ。私なんかましてで、あなたのことを頼ってこの舟にやって来たのよ。それなのに〝帰れ〟っていうのはどういうこと？　信じられない」

なるほど、若い女の筋道立った理屈というのは二千年以上も前から「当人にだけ説得力のあるもの」なのですが、そうであっても泣いてしまえばもう勝ちです。はまぐり女がヒックヒックと泣いているのを見たシジラは、「しようがないからせめて陸にまで連れて行こう」と思って舟を陸に戻しました。多分、まだ日が暮れてはいません。

女を舟から下ろしたシジラは、「私はここまで送って来ましたからね。じゃ、さよなら」と言ってその場を去ろうとしましたが、女はそうはさせてくれません。シジラの袖をつかんで、「お願いだからあなた

の家に連れてって。一晩だけ泊めて。そうしたら私は出て行きますから」と訴えました。

シジラは困って、「私の家というのは、貧乏男の寝起きするだけのところで、まともな家じゃありません。あなたみたいにピカピカな人を連れて行けるわけもないので、あなたのための家を別に作るしかありません。だから、ここで待っていて下さい」と言って逃げようとしましたが、はまぐりの中から出て来た女は、そんなことではとても騙されません。「私はあなたの家がいいんです。金銀《きんぎん》瑠璃《るり》硨磲《しゃこ》碼碯《めのう》で出来た豪華なお邸でも、あなたの家じゃなければ行きません」と言いました。

シジラはもうなんだかわけが分からなくなって、「すいません。ちょっとここで待っていて下さい。帰って母上に聞いて、〝いい〟と言ったら迎えに来ます」と言いました。

女は、「好きにすれば」とも「マザコンなんだから」とも言わず、黙ってその場に立っていました。

シジラは家に戻って「これこれこういうわけで」と言うと、母親はなにを聞いたのかやたらと喜んで「お迎えしましょ、お迎えしましょ」と言って、普段は息子の食事の仕度もしないのに、さっさと掃除を始めました。

母親が大喜びなのを見たシジラも嬉しくなって、海辺で待っているはずの女を迎えに行きますが、待ちきれない女は勝手にシジラの家の方に向かって歩いて来ます。はまぐりの中から出て来た女は裸足のままですから、それを見たシジラは、「それじゃ足が痛いでしょう。こんなみっともない私ですが、おぶって差し上げましょう」と言って、女に背中を向けました。

それまでに一度もまともな反応を見せたことのないシジラがそんなことを言うので、女はとても喜びましたが、シジラだって、生まれて初めて若い女の肉体をじかに感じることが出来るようになって、嬉しくないわけはありません。女を背中にしょって、「ああ、若い女だな、いいな」と思いながら道を歩いて来たシジラは、まさかいいことはそれだけしかないとは思わずに、母親の待つ家へと帰って参りました。

昔はもうちょっとましだったはずなのに、今や敷地が広いだけのボロ家に着いてはまぐり女を背中から下ろすと、中から出て来た母親が「ああら、もったいない。この人は天人だわ！」と叫んで、家の中を慌ただしく掻き回し始めました。母親によると、天人は普通の人間のいる床の上にいてはいけなくて、一段と高い所にいなければいけないのです。それでシジラの母親は慌てて家の中を掻き回し、天人のはまぐり女のために一段高い棚を作って、「どうぞ、どうぞ」と座らせたのです。それだけマメな母親が、普段はなにもしないで息子の釣って来た魚を食っているだけというのは、どうも不思議です。

天人のはまぐり女を棚の上に座らせた母親は、「もったいないことでございますが」と前置きして言いました。

「もしやあなたは、シジラの妻におなりになる方ではございませんの？　シジラはもう四十になるのに、妻もなくて子供の一人もおりません。私はもう六十を過ぎまして、いつこの世を去るやもしれません。息子のことが心配で、〝いい人がいないものか〟と、毎朝それればかりを嘆いておりますのでございましてよ」

はまぐり女は鷹揚《おうよう》にうなずいて申しました。

「私はどこからやって来て、この先どうなる身かも分かりませんから、どうなってもかまいません。彼と一緒にいさせて下さい。私は人の知らないことが出来るので、彼とは一緒に生活して行くことが出来るはずです」

はまぐり女と二人きりで話していた母親は、その言葉に「金の匂い」を感じて、「シジラ、シジラ！」と息子を呼びました。そして、「いいかい、この人はもうあんたの女房なんだから、しっかり頑張るんだよ」と言いました。マザコンではなくて親孝行のシジラは、「お母さんがちゃんと考えてくれたんだ」と思って、「分かりました」と答えましたが、その日からシジラに訪れたのは「幸福な結婚生活の日々」ではなくて、「不思議な慌ただしい日々」でした。

次の日になると、もう「シジラのところには不思議な人がやって来たそうだ」という噂が広まって、隣近所やもっと遠くの所から、大勢の人が拝みにやって来ました。今だと、人が大勢やって来るとバシャバシャ写メを撮って帰ってしまいますが、昔の人は違ったもので、「拝みに行こう！」で来た人達は、ちゃんとお供えとして米を持って来ます。天竺は飢饉で、一人一人が持って来るお供えの量も少ないのですが、やって来る人の数が多いので、シジラの家には米が山盛りになってしまいました。

シジラは「これで十分じゃないか」と思いましたが、天人のはまぐり女は満足しません。拝みにやって来た人に物陰から声を掛けて、「私は裸なの。だから苧《お》というものがあったら、今度持って来て。み

んなにもそう言って」と言いました。苧というのは、麻やそれに近い植物の茎の皮を剝いで叩き潰したものです。それを細かく裂いて糸にして、織物の材料にするのです。

昔の人は真面目で敬虔なので、「私は裸なの」と言われても覗いて見ようとはしません。言われた通り次の日になると苧を持ってやって来て、またたく間に家の中は苧の山です。

シジラは前の日に集まった米を炊いて母親に食べさせましたが、妻のはまぐり女の方は別のことをしていて、気がついてみると、女は山盛りになっていた苧を全部裂いて、それを糸にするための準備を完了させていました。

さっさと自分のやるべきことをやってしまった妻は、シジラに「錘《つむ》がほしい」と言いました。錘とは、オーロラ姫が指先を刺して長い眠りについてしまう例のものです。シジラはそんな後の話を知らないので、外へ出て行ってなんとかして錘を持って帰りました。

妻は早速、裂いて糸にした苧を錘にかけて糸に撚《よ》りをかけ始めました。妻は糸をつむいでいるだけなのですが、妻が回す錘からは、ありがたいお経のような声が聞こえます。シジラは「ああ、聞こえるな」と思ってそれだけでしたが、そんなことが二十五日も続いて大量の糸をつむぎ終わった妻は、シジラに「機織《はた》りの台がほしい」と言いました。

シジラは昔の人なので「機織り機を売ってるホームセンターなんかここいらにはないぞ」などと言わずに、どこかから材料を掻き集めて自分で作ってしまいましたが、それを見た妻は、「普通の機じゃだめなの。ここんところをこうして」と指図をして、シジラに作り直させました。

はまぐり出身の妻は、出来上がった機を見て、「これに経糸《たていと》を通さなきゃ」と言ってシジラをチラッと見ましたが、あまり役に立ちそうもないなと思ってなにも言いません。その内、一度も見たことがない女が二人もやって来て、「今晩泊めて下さい」と言います。シジラがどうしたものかなと思っていると、やって来た女二人はスーッと家の中に入って、シジラの妻と一緒になって機に糸を渡し始めたのです。

夜になってシジラは、いつものように母親の足を自分のおでこの上に載せて寝ました。一度も見たことのない女二人を寝かせた妻は戻って来て、シジラの隣に横たわりました。自分の夫が姑の足を頭に載っけているのですから、夜の営みなんかは出来ません。隣を見ると夫は泣いています。はまぐり出身の妻は念のため、「どうして泣いてるの？」と聞きました。もしかしたら夫は、「母親の足を頭に載っけて寝るのなんかいやだ」と思って泣いていたのかもしれないのです。

ところが、夫の言うことは違います。「昔の母上はお太りになっていて、頭に載せた足は重かったのに、今じゃお年で足も軽くなるほどお痩せになったので、それでおいたわしいと思って泣いているのです」と答えました。

はまぐり出身の妻は、「若い頃からそんなことをやってたんですか？」などと言って驚いたりはせず、「なんという親孝行なお方なんでしょう」と感動して、「親孝行をするということがあります。鳥も親孝行です」というわけの分からなくてありがたいお話を、母親の足をおでこに載っけているシジラに向かってエンエンと続けたのです。話の内容はともかく、話す女の口から出る息があまりにもいい匂いなので、シジラはうっとりとしてしまいました。

夜が明けると、昨日やって来た女二人はもういません。はまぐり出身の妻は、シジラに向かって、「私は機を織りたいんだけど、ここじゃ狭くて出来ないから、別に機織り小屋を作って」と言いました。シ

ジラは、「だったらさァ、先に機織り小屋を作らせてから機織りの台を組み立てさせろよ。一度出来たでかい機を移動させるのは大変なんだから」とは言わずに、「分かった」の一言で敷地内に丸太小屋を作り始めました。男は結婚すると妻の言いなりになって、出来る男はなんでもやらされてしまうということです。

真面目で勤勉なシジラは大急ぎで機織り小屋を完成させて機織り台も中に運び込みましたが、はまぐり出身の妻はたいした礼も言わず、「私が機織り中は、誰もここへ入れないでね」と言いました。言われたシジラは、母親にも「入っちゃだめなんだって」と言いましたが、その日の夕方にまた知らない若い女がやって来て「泊めて下さい」と言いました。

「誰も入れるな」と言ったくせに、シジラの妻はこの女を機織り小屋へ入れてしまいます。シジラの母親はへんな好奇心を持って、「誰も入れるなって言ったのに――」と嫁の矛盾を突きにかかるのですが、嫁は「この人はいいの」と言って相手にしません。嫁のところに見知らぬ女ばかりがやって来るので、姑は「レズなのかしら?」と思いましたが、機織り小屋の中から聞こえるのは、パタンパタンという機を織る音だけです。シジラの妻は、やって来た女と二人して十二日間機織り小屋に籠って、法華経八巻二十八品《ほん》を織り込んだ長い布を織っていたのです。

もちろん「中に入ってはいけません」と言われたシジラは、そんなことを知りません。妻は織り上がった布を畳んで、しかも碁盤ほどの厚さに畳み上げたまま「開けてご覧なさい」とも言わないので、なんだか分からないシジラは、「よくも短期間でこんなに織ったものだ」としか思いませんでした。

はまぐり出身の妻は織った布をシジラの前に置くと、「これを明日、鹿野苑《ろくやおん》の市へ行って売って下さい」と言いました。鹿野苑というのは、悟りを開いたお釈迦様が初めて説法をした場所で、今では人で賑わうショッピングストリートになっていたのです。

「売るって、これをいくらで売るの？」とシジラが聞くと、はまぐり出身の妻は「金貨三千貫」とあっさり言いました。市場でそんな高い布が取り引きされているなんてことを聞いたことのないシジラは、「ちょっと高過ぎないか？」と妻に言いました。

妻はおごそかな顔をして、「これはただの布ではありません。鹿野苑へ持って行けば値打ちの分かる人もいます。値引きなんかしちゃだめよ。分かったらさっさと行けばいいのよ」と言いました。仕方なしにシジラは翌日、結構な重さのある布をかついで市の立つ鹿野苑へ出掛けましたが、その途中で「もしかしたら自分はとんでもなくわがままな女と結婚させられたんじゃないのか？」と、少しばかり思いました。

果して鹿野苑に着いても、これを買おうという人はおりません。「なんじゃこれは？」と言って布の端をつまんで見たり、「金貨三千貫は笑っちゃうね」と言って笑っちゃう人ばかりです。一日中人に笑われて日も暮れかかっているので、帰ろうと思ったシジラは、布をかつぎ上げて道を歩き出しました。

すると向こうから、白地に黒い差し色の入った葦毛の馬に乗った、白髪に黒い毛を少し残して白い髭を生やした、馬とコーディネイトした六十歳を過ぎたくらいの老人が、三十三人の供を連れてやって来て、シジラを見て馬を止めると、「お前はどこの者だ？」と聞きました。

「自分がへんなものかついでるのがいけないのかな」と思うシジラは、「私は怪しい者じゃありません。シ

ジラという名で、鹿野苑へ布を売りに来たのに売れないので、今帰るところなんです」と言いました。すると老人は、なぜか「シジラなら知っているぞ」と言って、「その布を見てやろう」と言いました。でもそのくせ、老人は馬から下りません。シジラは老人の方に布を捧げ持って、三十三人の供の男がこれを広げ始めました。三十三人の男が両手を広げて布の端を持つとちょうどの長さで、布は三十三尋《ひろ》の長さがありました。それで供は三十三人だったのです。

広げられた布を初めて見て、でもシジラはなんとも思いません。シジラにとっては、ただの布です。でも老人は、「これは貴重なものだ、買おう」と言って売り値を聞きます。シジラは「金貨三千貫」と、言われた通りのことを言ったのですが、老人は「そりゃ安い」と言って即決です。老人は「買うから付いて来い」と言ってシジラを従えると、馬を進めて行きました。

着いた先は、よく分からないくらいとんでもなく豪華な邸で、金銀瑠璃硨磲碼碯製です。どこかから音楽も聞こえ、素敵な匂いも漂って来ます。「ここにいなさいと言われたら、居心地がよくてずっといちゃいそうでやだな」とシジラが思っていると、すごいマッチョの大男が三人、千貫ずつ金貨を入れた箱三つを持ってやって来ました。「金貨三千貫で売れ」と言われたシジラは、その額のとんでもなさに驚いていましたが、実際の「金貨三千貫」はとても重くて、一人で運べるようなものではなかったのです。「そんなもんもらったって、どう持ってけばいいんだ?」とシジラが思っていると、座敷に上がった老人は、「ちょっと上がれ、酒をやる」と言いました。

シジラは本来酒好きの男なのですが、ここのところの貧乏暮らしで酒を我慢して来ました。だから、「飲ませてやる」と言われれば、すぐに「はい!」です。

老人はシジラの手にした盃に酒を注がせて、「それは七徳宝寿《しちとくほうじゅ》の酒だ。七杯まではいいが、それ以上はだめだぞ」と言いました。天竺の盃はちょっと大きめですが、酒好きのシジラはグビグビグビッと飲んで、「うめェ!」と言いました。シジラのボキャブラリーはそれほど多くないので、どのようにうまいのかを説明出来ません。食レポには向かない男ですが、最高に酒がうまかったのでリミットの七杯まですぐに飲んでしまいました。

シジラがいい気持ちになっていると、またさっきのマッチョが三人出て来て、金貨の入った箱をかつぎ上げました。この三人は天竺のボディビルダーではなくて、なにか仏教的な深い意味を持つ人物だったのですが、シジラには深い知識もなく「この人達が運んでくれるなら楽だ」と思って、「それでは帰ります」と老人に頭を下げました。すると老人はとんでもないことを言うのです。

「お前に飲ませた酒は、普通の酒ではない。観音の浄土にある七徳宝寿の酒で、一杯飲むと千年の寿命を得る。お前は七杯飲んだから、七千年の寿命を得た。これからは、物を食わなくても腹が減らないから、物を食う必要がない。なにも着なくても寒くはないはずだから、服もいらない。すべてはお前の親孝行に対する褒美だ」と言って、老人は雲に乗って豪華な邸と共に姿を消してしまいました。

気がつくとシジラは、自分の家の前に立っていて、家の前にはマッチョの男達のかついでいた金貨の箱が置いてあります。「一体なにが起きたんだ?」と思うシジラは、家の中で待っていた妻に、「あのさ、こんな不思議なことがあってさ――」と言おうとしました。

ところが例によってで、はまぐり出身の妻は夫に話をさせません。まるで見て来たように、「鹿野苑ではこういうことがあって、その後でお爺さんが来たでしょ」と、シジラの言いたいことを全部喋ってしまうのです。シジラは「なんでそんなこと知ってるんだ？」と思うより先、「こいつはただ者じゃない。一種の化け物だ」と思ってしまいました。

普通の女ははまぐりの中から出て来ませんから、シジラの妻がただ者じゃないのは初めから分かっています。はまぐりから出て来て、その後もずっとへんで、それに今まで気づかなかったシジラの方がどうかしているのですが、妻の方は平然として、「じゃ、私は帰ります」と言ってのけました。勝手に離婚したがる女はみんなこうです。

そうなると、シジラの母親の出番です。はまぐり女に結婚を申し込んだのもこの母親ですから、女が「出て行く」となったら、引き止めるのも母親の仕事です。シジラの母親は泣き落としにかかって、「こんなにいい人が嫁に来てくれてよかったと思っていたのに、ひどい！」と嘆き悶えて訴えました。

しかし、はまぐり出身のシジラの妻は動じません。相変わらずの上から目線で、「私は南方補陀落《ふだらく》世界の観音の浄土から、観音様のお使いでやって来た者です」と言いました。

「私が来たのは、あなたが親孝行だからです。私が布を織って金貨三千貫で売って来てと言ったのは、そのお金であなたを一生楽にさせてあげるためです。お爺さんがあなたを連れて行った場所も、遠い南方の観音の浄土で、出されたお酒を一杯飲むと千年の寿命を得るというのも本当で、お爺さんやお邸が雲に乗って一瞬で消えてしまったのも夢や幻ではありません。そういうわけなので、私も雲に乗って消えます」

シジラの妻だった女が姑を無視して夫に言うと、空からは白い雲が下りて来て、辺りにはいい匂いが立ち籠め、世にも妙なる音楽も流れて、花びらも降って来て、更には大勢の菩薩さえも迎えにやって来て、女は空の彼方へ消えてしまいました。

シジラと母親は、ぽかんとして空を眺めていました。そういうことになったら、誰でもぽかんとして口を開けている他はないでしょう。そもそもなにが起こったのか、よく分からないのです。

何日かたつと、シジラは自分の体の変化に気がつきました。ずっと物を食べなくても、シジラは腹が減らないのです。「金持ちになった」と思っても、ファッションに興味が湧かないのです。七徳宝寿の酒を飲ませたお爺さんの言う通りで、腹も減らなければ服もいらないのです。でも、シジラの母親はそんな便利な酒を飲んでいませんから、毎日ちゃんと腹が減ります。それでシジラは、母親の食事の仕度ばかりを続けました。考えてみれば、はまぐりの中から出て来た嫁は食事の仕度なんか一度もしませんでしたから、その嫁がいなくなってしまうと、「嫁ってなんだったんだ？」とシジラだって思わざるをえません。

三千貫の金貨だって、同じ観音の浄土出身の二人が、一方は布を織りもう一方はそれを高額で買うなどというめんどくさいことをしなくたって、「くれるんだったら釣り上げたはまぐりの中に女と一緒に入れておけばいいんじゃないか」とは思いますが、観音の浄土という特殊な世界にいる人のすることなので、よく分かりません。もしかすると「初めからご褒美付きで女を贈ると、シジラは親孝行をやめて夫

婦生活の方に夢中になってしまうから、お前はシジラの家へ行ってずっと機織りをしていなさい」と観音様が女にお命じになったのかもしれません。

それで、七徳宝寿の酒を七杯も飲んだシジラは、七千年の寿命を授って、今でもまだ生きています。母親はそれなりの長生きをして普通に死にましたが、シジラにはまだ五千年近い寿命が残っています。「別に食いたいものもなし、嫁さんになる女もいなくて、後五千年も生きるってどういうことだ?・」とシジラはぼやいていますが、日本の室町時代の人はこの話を「親孝行を人に勧めるいい話だ」と考えていて、「この話を多くの人に読み聞かせるべきだ」と考えていたのです。

それで私も、ここにこうして「はまぐりの草紙」を広めているわけですが、超高齢大国に日本がなることも知らずに親の足をおでこに載っけて寝ていた室町時代の人達は、まだ信じることがあった分だけ幸福だったのです。シジラは金貨三千貫を使って世界経済を動かしているのですが、「そんなことより嫁さんがほしいな」と思っているのです。

原典「御伽草子」より――

蛤《はまぐり》の草紙《さうし》

天竺摩訶陀国《てんぢくまかだこく》のかたはらに、しじらと申す人あり。世にすぐれて貧《まど》しき人にておはしけり。父にははやく離れ、母親一人もち給ひけるが、其頃天竺《そのころてんぢく》ことのほか飢饉《ききん》ゆきて、人疲れて死する事限りなし。しじら母を養ひかねて、よろづの営みをして母を過《すご》さんために、天に仰ぎ地にふして、営めども、さらに其《その》かひなかりけり。ここに思ひいだしたる事ありとて、浦曲《うらわ》に出でて釣《つり》をして、うろくづをとりて母を過さんとて、浦へ出でて小舟《こぶね》に乗り、沖《おき》中《なか》へ漕《こ》ぎいだし、釣《つり》を垂れ給へり。色々の魚《うを》を釣《つ》りて、毎日母を養ひけり。さればしじらは是《これ》をうれしき事に思ひけるが、或時《あるとき》又浦へ出でて釣《つり》を垂れ給ひしが、其日《そのひ》もはや暮方《くれがた》になりけれども、魚一《ひと》つも釣《つ》り得ざりし。しじら心に思ふやう、此程《このほど》いくらの殺生《せつしやう》をして、母を養ひたる報《むくひ》にや、さらに魚釣られざりけるとて、しじら心に思ふやう、いかにや母の我を待ちかねさせ給ふらん、今まで物を参らずして、さぞ御心疲れ給はんとて、釣《つり》する心もそばになりて、母の事をのみ案じゐたりしが、釣竿《つりざを》も心のありけるにや、すは魚《うを》こそかかりたるらめと思ひ、ひそかに釣《つ》り上げて見ければ、美しき蛤一《はまぐりひと》つ釣り上げたり。しじら心に思ひけるは、是《これ》はいかなることやらん、何の役にたつべきとて、海へ投げ入れたり。さてここには魚《うを》なきとて、西の海へ舟漕《こ》ぎて行き、釣《つり》垂れしかば、又以前の、南の海にて釣《つ》り上げたりし蛤《はまぐり》也。しじら心に思ふ様、あら〳〵不思議のことやとて、又とりはなして海へ投げ入れたり。それよりまた、北の海へ漕《こ》ぎ行きて、釣《つり》を垂れし所に、又西の海にて釣り上げし蛤《はまぐり》あがりけり。その時しじら思ふやう、「是《これ》は希代《きたい》不思議のこと也。一度《ど》ならず二度ならず、三度まで釣り上げたり。ただかりそめながらも三世《さんぜ》の契《ちぎり》を得たる物かな」とて、此度《このたび》は取り上げて舟のうちへ投げ入れて、また釣《つり》を垂れければ、彼蛤俄《かのはまぐりにはか》に大きになりけり。あら不思議のことやとて、しじら取りて、海へ入れんとする所に、此蛤《このはまぐり》のうちよりも、金色《こんじき》の光三筋《みすぢ》さしけり。是はいかなる事ぞやとて、目を驚かし肝《きも》を消し、恐れをなして遠ざかりける。此蛤貝二《はまぐりがひふた》つに開《ひら》き、其中より、容顔美麗《ようがんびれい》なる女《によう》房《ばう》の、年の齢《よはひ》十七八ばかりなるが出でたり。

しじらこれを見て、潮《うしほ》をむすび手水《てうづ》をつかひつつ申しけるは、「是《これ》ほどいつくしき女房の、姿を見れば春の花、かたちを見れば秋の月、じつはら十《とを》の指までも、瑠璃《るり》をのべたる如くなる女房の、海より上《あが》らせ給ふ事の不思議さよ。若しも竜女《りゆうによ》などと申す人にておはしまし候か。此賤《しづ》の男《を》の舟に上《のぼ》り給ふ事、冥加《みやうが》もなき事なり。ただ御《おん》すみかへ帰り給へ」と申す。其時女房仰せけるは、「われは来たる方《かた》も知らず、又行末《ゆくすゑ》も知らずさぶらへば、そなたの宿へつれて御行き候へ。互《たがひ》の営みをしてうき世をわたらん」とのたまへば、しじら申すやう、「あら恐ろしや思ひも寄らぬ事なり。われははや四十になり候へども、いまだ女房ももたず候。其《その》いはれは、六十に余りたる母を一人もち候へば、もしわれ女房をもち候はば、心もそばになりて、母を無沙汰《ぶさた》にあつかひ申さん事もや候はんと思ひ、母の気《き》をそむくと存じ候へば、妻をもつ事思ひも寄らぬ事や」とて、けしからず聞《きこ》えければ、此女房仰せけるは、「情《なさけ》なき人かな。物の行衛《ゆくゑ》をよく聞き給へ。袖のふり合《あは》せも他生《たしやう》の縁と聞くぞかし。たとへば鳥類《てうるい》などだにも、縁有る枝に羽をやすめるぞかし。ましてや是《これ》までそなたを頼み参らせて、此舟にもとづきしかひもなく、帰れと仰せ候ことのあさましさよ」とて、まことに思ひ入りたる気色《けしき》にて、涙にむせび給へば、しじら是をみてつらく〳〵思ふやう、さらばせめて陸《をか》へおろさんとて、急ぎ舟を漕《こ》ぎ、みぎはに着きて舟より急ぎおろし参らせて申しけるは、「われは是《これ》まで届け申すことにて候。さらば御暇《おいとま》申さん」とて帰らんとしければ、此女房袖にすがり歎《なげ》かせ給ふやう、「せめてそなたの宿《やど》まで御つれ候へ。一夜《いちや》を明かさせてたび給へ。明けなばいづかたへも足に任せて行き候はん」とのたまひけり。しじら申されけるは、「われ〳〵が家と申すは、ただ世の常の家にてもなく、まことに賤《しづ》の男《を》の寝屋《ねや》の有様、目もあてられざる所なれば、置き奉らん所さらになく候。常の座敷に置き参らせん事は、冥加《みやうが》もなき事にて候へば、家をつくり参らせて置き奉らん。御待ち候へ」と申せば、女房のたまひけるは、「いかなる金《こん》・銀《ごん》・瑠璃《るり》・硨磲《しやこ》・碼碯《めなう》をもつてつくりたる家なりとも、よそへはさらに参りたくもなし。そなたのすみかへならば、行き候はん」とのたまへば、「さらば少し御待ち候へ。先づわれ〳〵宿に行きて、母に伺ひ申して御迎ひに参り候はん」とて、しじらはすみかに帰りて、母に此由《このよし》申しければ、母なのめならず喜び給ひて、「急ぎ座敷を清め、こなたへ迎へ申さん」とのたまひければ、しじら喜びて、急ぎ海のはたへ御迎ひにぞ参りける。此女房待ちかね給ひてわたりける、道のほとりにて行きあひ奉りける。しじら申しけるは、「御はだしにては御足痛《いた》く候はん程に、此賤《いや》しき賤《しづ》の男《を》がうしろに、負はれ給へ」と申せば、喜び給ひて負はれさせ給ひけり。さてわが宿へ行き着きおろしければ、やがて母出であひ見奉りて、あら冥加《みやうが》もなや、是《これ》ぞ天人《てんにん》と申す人なりとて、わが居《ゐ》る所にはいかがとて、俄《にはか》に棚《たな》をかき、われより高く置き奉りて、あがめさせ給ふ事限りなし。

　其時しじらが母の申すやう、「冥加《みやうが》もなき申し事にて候へども、などしじらが妻にならせ給ふ人にておはしまし候はずや。しじらもはや四十になり参らせ候が、いまだ妻ももたず、子の一人も候はぬこそ、明け暮れわび参らせ候ひつれ。わが身ははや六十にあまり明日《あす》をも知らぬ身の、此事をのみ案じさぶらふ。あはれ〳〵似合《にあ》はしき妻もがな」とて歎《なげ》きければ、女房仰せけるやうは、「われはこれ来《きた》りし方《かた》も知らず、もとより行衛《ゆくゑ》も知らぬ身なれば、いかやうにもしじらと置かせ給へ。われ人知らぬ営みをもして、諸共《もろとも》にうき世をわたり候はん」とのたまひければ、母なのめに喜び給ひて、さらばといひて、しじらに此由《このよし》いひければ、もとより親孝行の人なれば、ともかくも母の御はからひと御返事申されければ、天竺《てんぢく》も人の心の甚《はなは》だしき所なれば、みな〳〵人申しけるは、「しじらの所に社《こそ》、不思議の降《ふ》り人《びと》わたり候。いざや参り拝まん」とて、道俗男女《だうぞくなんによ》に至るまで、くましねを包みなどして参りけり。さる程に白米《はくまい》三石《ごく》六斗《と》日のうちに寄りたり。其時参りたる女房にのたまひけるは、「われははだかなるものなれば、苧《を》と申す物あらばくれよ」と仰せければ、その次の日は、苧《を》を持ちて参りけり。しじら心にめでたき事のありて、前の日より参らせ候米《こめ》にて、母を過《すご》し候はん事の嬉《うれ》しさよとて喜びけり。また此女房は、苧《を》をこしらへてひそかにし給ふ程に、いつ績《う》ませ給ふとは見えねども、おびたたしく績《う》ませ給ひけり。さる程に紡《つ》錘《む》といふ物ほしき由のたまへば、しじらやがて尋ね求めて参らせけり。此苧《を》を紡《つむ》ぎ給ひし音こそ面白く聞《きこ》えけれ。よく〳〵聞《き》きて文字《もんじ》にうつしてみれば、やる手には南無《なむ》常住《じやうちゆう》仏《ぶつ》と響《ひび》き、引き入れ縒《よ》れる手には、南無《なむ》常《じやう》住法《ちゆうほふ》と響き、巻き給ふ時は、阿耨多羅《あのくたら》三藐《みやく》三菩提《ぼだい》と巻きをさめ給ふ。又てがいと申す物をとり給ふ時は、南無《なむ》妙《めう》と響き紡《つむ》がせ給ひける程に、二十五日と申すに紡《つむ》ぎ出《いだ》し給ひて、さて機《はた》の具足《ぐそく》ほしきと仰せければ、さらばとてこしらへみんとするを、御覧じてのたまひけるは、「世の常の機《はた》の具足にてはわろく候。われ〳〵が機《はた》の具足は、常のに変り候」とて、本《ほん》を出《いだ》し給へば、御好みのやうにこしらへて参らせければ、此女房喜び給ひて、「何として巻き立てみん」と宣《のたま》ひけるところに、示現神通力者《じげんじんづうりきしや》はやがて心得させ給ひ、広修智方便《くわうしゆちはうべん》のせつなれば、いかでか悪《わろ》かるべきぞや、一度も見ぬ人二人来《きた》りて、一夜《いちや》の宿を借り給ふ。此機《はた》を共に巻き給へり。是《これ》を始めて、しじらの母不思議の事かなとて、いよ〳〵あがめさせ給ふこと限りなし。しじらは「此機《このはた》立ちて、母の慰まれ候事のうれしさよ。いつよりも心やすく過ぎゆかれ、又営みの業《わざ》をし、此程は辛労《しんらう》とも覚えず。是程《これほど》天竺《てんちく》の飢饉《ききん》世にすぐれけれども、我々心やすく候事こそうれしけれ」とて、母の御足をわが額《ひたひ》の上に置きて、寝させ参らせけり。

　其時しじらが側《そば》に寝させ給ひたる女房、しじらに尋ね給ふやうは、「何とて泣き給ひ候ぞ」と仰せければ、「若き時御太《ふと》り候ころは、御足を額《ひたひ》に寝させ申すに、重くおはしまし候ひしが、はや御年もより給へば、次第に身も細らせ給ひて、ことの外に軽《かろ》く候程に、泣くよりほかの事はなく候」と語り給へば、女房聞き給ひてのたまふやう、「誠《まこと》にうらやましのしじらの心や。いかなる仏の御恵《おんめぐ》みもなどかあらざらん。か程に親孝行の人は、世に珍《めづ》らしき事や」とて、やがて物語をぞし給ひける。「たとへば越鳥《ゑつてう》南枝《なんし》に巣をかくる翼も、親の育《はごく》みを思ひ、巣をたてられて、諸共《もろとも》に立つ時、四鳥《してう》の別れとて、母子《ははこ》の別れを知らぬ妄執《まうしふ》の雲に隔《へだ》たれども、親孝行の鳥は、生れたる木の枝に百日が間、日に一度づつ来りて羽《は》をやすむるを、母の鳥さては是《これ》こそ我子《わがこ》よとて喜びける」とて、やがてしじらを慰め給ひける。「孝行の鳥の奇特《きどく》は何と捕《と》らばやとて網をかけぬれども、捕られまじきなり。ことに鷹《たか》鷲《わし》などにも捕られまじきなり。まして人間と生《しやう》をうけて、親に従はぬ人、この世にては禍《わざはひ》をうけ、七難あやまちにあひて、その身思ふ事かなひ難し。親孝行の人には、天より福を与へ、七難即滅七福即生《しちなんそくめつしちふくそくしやう》とて、何事も思ふ事の日のうちにかなひ、衆人愛敬《しゆにんあいきやう》ありて、おのづから今《こん》生《じやう》にては上求菩提《じやうぐうぼだい》の道にゆきて、安穏快楽《あんをんけらく》の気をうけ、九品蓮台《くほんれんだい》の座をさして東方薬師《とうばうやくし》の浄土、西方阿弥陀《さいはうあみだ》の浄土にて、諸仏の上の浄土にもとづき、おのづから示現神《じげんじん》通力《づうりき》の身となりて、念彼観音《ねびくわんおん》と唱へさせん事、疑ひなし」と語り給ひける。息のにほひは異《い》香《きやう》薫《くん》じて、まん〳〵と満《み》ちく〳〵て、夜昼《よるひる》のさかひもなし。いざ機《はた》を織らんとて、しじらにのたまひけるは、「此家ははたばり狭《せば》くて織られまじく候。側《そば》に機屋《はたや》を造《つく》りてたび給へ」とのたまへば、しじら俄《にはか》に黒木《くろき》をとりて、機屋《はたや》を造りて参らせけり。

其時《そのとき》、女房仰せけるは、「かまへて此機《はた》織りみん程、此《この》方《はう》へ人を入れまじき」と仰せければ、しじら、「心得候」とて、母に此由《このよし》語りけり。其夕暮《そのゆふぐれ》に、若き女一人いづくよりとも知らず来《きた》りて、宿を借り給ふ。しじらの女房、やがて此機屋《このはたや》を貸しけり。しじらの母仰せけるは、「此機屋へ人を入れまじきと仰せ候が、何とて宿を御貸し候や」と仰せければ、「此人は苦しからぬ」とて、二人して機《はた》を織り給ふ音こそ珍らしけれ。

妙法蓮華経《めうほふれんげきやう》、観世音菩薩《くわんぜおんぼさつ》、普門品第《ふもんぼんだい》二十五の菩薩《ぼさつ》、玉《たま》の御機《おんはた》を織り給ふ。まことに法華経《ほけきやう》の一の巻《まき》より八の巻《まき》に至るまで、二十八品《ほん》こと〴〵く織り入れ給ふ御声、耳に聞《きこ》えてありがたく、夜昼《よるひる》のさかひも知らずして、十二日の間に織り出《いだ》し給ひて、女房仰せけるは、「今織り出《いだ》し候」とて、碁盤《ごばん》の如くに、厚さ六寸ばかり、広さ二尺四方にたたみ給ひて、しじらに仰せけるは、「明日摩訶陀《あすまかだ》国《こく》、鹿野苑《ろくやをん》の市《いち》に持ちて行き御売り候へ」とのたまひければ、しじら「代《しろ》はいか程と申し候はん」。「金銭三千貫に御売り候へ」と仰せければ、「あら不思議や、此程《このほど》売り買ひ候布《ぬの》は、世の常安く候が、是《これ》はあまりにおびたたしく候」とて、をかしげに申しければ、女房仰せけるは、「只《ただ》世の常の布《ぬの》にて候はず。われ〳〵が織る布《ぬの》は、定めて鹿野苑《ろくやをん》の市《いち》にて、見知る人も有るべし。代《しろ》は限るべからず候。はや〳〵市へ人も立つらん、行き給へ」と仰せければ、しじら持ちて行き、鹿野苑《ろくやをん》の市にて、「是《これ》はいかなる物にて候」とて笑ひ、又は不審さうに見る人も有り。一日持ちてまはれども、誰《たれ》にても取りて見る人だにもなし。しじら心に思ふやう、さればこそ知らぬ事をして、かかる物を市《いち》へ出《いだ》し、人の笑ひ草になる事の無念さよとて、持ちて帰らんとする所に、道にて年の齢《よはひ》六十に余りたる老人の、鬢鬚《びんひげ》いかにも白く、其身は人にすぐれ、葦《あし》毛《げ》の馬に乗り、供の人三十三人有るに行きあひたり。此馬に乗り給ひたる老人仰せけるは、「汝《なんぢ》はいづくの者ぞ」と問はせ給へば、「われはしじらと申す者にて候が、鹿野《ろくや》苑《をん》へ布《ぬの》を売りにまかりて候が、買主《かひぬし》なくして持ちて帰り候」と申す。「汝《なんぢ》は聞き及びたる者也。其布《そのぬの》見ん」とのたまひ候程に、馬の上へさしあげたり。三十三人の人々、此布《ぬの》をひろげければ、長さ三十三尋《ひろ》也。「近頃珍らしき布《ぬの》かな。われ買はん、代《だい》はいか程」と仰せければ、「金銭三千貫に売り候はん」と申しければ、「あらやすの布《ぬの》や」とて、「さらばわれ〳〵が所へ」とて、しじらも誘《いざな》ひ給うて、それより南の方《かた》へさして行く。くはうゑんまん〳〵

として、雲に聳《そび》えて門あり。見れば碼碯《めなう》の礎《いしずゑ》に、水精《すいしやう》の珠《たま》を柱《はしら》とし、瑠璃《るり》の垂木《たるき》、硨磲《しやこ》碼碯《めなう》にて上葺《うはぶき》し、中々目を驚かすばかりなり。門《もん》のうちへ入りて見れば、異香《いきやう》薫《くん》じて花降《ふ》り、音楽の声天に満《み》ち〳〵て、心も若く齢《よはひ》も久しくある心地して、帰らんことを忘れたり。此馬に乗り給ふ老人、縁の際迄《きはまで》乗りつけて下《お》りさせ給ひ、うちへ入りて、金銭三千貫、三人して持ちて出でたり。あらかる力の強き人も有るやと、しじら恐ろしく思ひけり。扨《さて》「今の布売《ぬのうり》を、こなたへ呼べ」とて座敷に呼び上げ給ふ。しじら足ふるひて心も乱れ、身の置き所もなく思ひ居《ゐ》る。余りに呼び給ふ程に、階《きだはし》を上《あが》り大床《おほゆか》に上《あが》る、心はさながら薄氷をふむが如くにて上《のぼ》りけり。さて老人のたまふは、「其七徳保寿《しちとくほうじゆ》の酒、飲ませよ」とのたまへば、もとよりしじら上戸《じやうご》にて、一杯《いつぱい》飲みてみれば、中々甘露の味はひ満ち〳〵て、言語《ごんご》えこらへぬ酒なり。いか程も飲むべけれども、老人仰せけるは「七杯より多く飲むべからず」との仰せなれば、七杯飲ませけり。

さて金銭三千貫をば、是《これ》より送り候はんとて、恐ろしげなる人、三人呼び出《いだ》されけり。名をば声聞身得度者《しやうもんじんとくどしや》、毘沙門身得度者《びしやもんじんとくどしや》、婆羅門身得度者《ばらもんじんとくどしや》と申す。此三人に仰せつけさせ給ひて、三千貫の金銭を、ただ一度にしじらが宿へ来《きた》りければ、其時しじら「御暇《いとま》申さん」といひければ、老人仰せけるは、「今飲みたる七徳保寿《しちとくほうじゆ》の酒は、観音《くわんおん》の浄土にある酒也。一杯飲めば一千年の齢《よはひ》を保つなり。まして汝《なんぢ》は、七杯飲む間、七千年の齢《よはひ》あるべし。此後《このゝち》は物を食はずともほしくも有るまじき、物を着ずとも寒く有るまじきなり。是ぞ親孝行のしるしよ」とて、御立ちまし〳〵て、雲の上に乗りて行き給へば、五色《ごしき》の光さして、南の天に上《あが》り給ふと思へば、しじら我《わが》宿へ帰るなり。女房にかくと語らんとしければ、其時の有様をいはぬさきに、少しも違《たが》はず女房語り給へば、しじら心に思ふやう、恐ろしの事や、是《これ》は神通《じんづう》をさとる化身《けしん》ぞやと思ふ所に、此女房仰せけるは、「さらばわれ〳〵は御暇《いとま》申し候はん」とのたまへば、母聞きて、「うたてしき御ことかな。此程は思ひのほかなる人を迎へ参らせて、しじら共にうれしく思ひ参らせ、何にたとへん方も候はぬに、かやうに仰せ候事、あら情《なさけ》なや」とて、天に仰ぎ地にふして、歎《なげ》き給ふ事は限りなし。

女房仰せけるは、「かやうに永々《ながなが》しく居《ゐ》候はんずる事ならば、いかなる事をもかせぎ出《いだ》し候うて、後《のち》のかたみにも見せ参らせ、又過ぎにし方の事をも御忘れ候やうにと、思ひ候へども、われ〳〵が業《わざ》には此布《このぬの》織り出《いだ》し候うて、金銭三千〆《ぐわん》に売り参らせ候うておき候事も、異《こと》なる事とおぼしめすまじく候。是《これ》にて一世を御過ぎ候はんなり。是《これ》ひとへにしじら親孝行なるしるしなり。南方《なんばう》補陀落《ふだらく》世界の観音《くわんおん》の浄土より、御使《つかひ》として参り候。今は何をかつつむべき、われは童男童女身《どうなんどうによしん》といふ、観音《くわんおん》に仕へ奉るものなり。布《ぬの》売りにおはせし所は、南方《なんばう》補陀落《ふだらく》世界の観音《くわんおん》の浄土なり。これより後《のち》は七千年の齢《よはひ》なり、これは七徳《しちとく》保寿《ほうじゆ》の酒七杯飲み給ふ故なり。此後《このゝち》はいよ〳〵富貴繁昌《ふつきはんじやう》にて、仏神三宝《ぶつじんさんばう》の加護有るべし。かの酒参り候とき、三人出でて酌《しやく》取り候ひしこそ、我々と肩をならべたる人にて候。名をば声聞身得度者《しやうもんじんとくどしや》、一人は毘沙門身得度者《びしやもんじんとくどしや》、一人は婆羅門身得度者《ばらもんじんとくどしや》と申す也。これもひとへに親孝行の徳により、かくの如くあはれみ給ふ事まぎれなし、さらば」といひて、しじらが宿を立ち出でて、門にて暇乞《いとまごひ》させ給ふ事、四鳥《してう》の別れの如くなり。名残惜《なごりを》しやとて、南の空に上《あが》らせ給ふかと見れば、白雲《はくうん》に乗り給うて、上《あが》らせ給ふ也。虚空《こくう》に音楽響きて、異香《いきやう》四方《よも》に薫《くん》じ、花降《ふ》り、もろ〳〵の菩薩《ぼさつ》たち迎ひに参らせ給ふ。さてもしじらは呆《あき》れたたずみけるが、何と思ふとも重ねて逢《あ》ふべき事ならねば、思ひきりつつ親子わが宿へ帰りける。それよりして富貴《ふつき》繁昌《はんじやう》して、親を心やすく養ひ給ふ。さてしじらはおのづから成仏得道《じやうぶつとくだう》の縁を受け、仏の位《くらゐ》となり、七千年と申すに、天に上《あが》り給ふ。其時紫雲《しうん》たなびきて、異香《いきやう》四方《よも》に満ち〳〵て、花降《ふ》り、不老不死の風吹きて、音楽の声ひまもなく、廿五の菩薩《ぼさつ》三十三の童子、廿八部衆《ぶしゆ》三千仏、みな色めき、十六の天童、四天五大尊《してんごだいそん》、皆々虚空《こくう》に満ち〳〵給ふ。

是《これ》ひとへに親孝行のしるしなり。後々《のちのち》とても、此草紙《このさうし》見給うて、親孝行に候はば、かくの如くに富み栄《さか》へて、現当二世《げんたうにせ》の願《ねがひ》、たちどころにかなふべし。まづ現世《げんぜ》にては、七難即滅《しちなんそくめつ》し、障《さは》りもなく、衆人愛敬《しゆにんあいきやう》ありて、末繁昌《すゑはんじやう》なるべし。後《のち》の世にては必ず仏果を得《え》べき事疑《うたがひ》なし。偏《ひとへ》に親孝行にして、此草紙を人にも御読み聞かせあるべし、御読み聞かせあるべし。

『御伽草子（下）』市古貞次校注　岩波書店